P9-AGD-225

DANS LA MÊME COLLECTION :

Contes

La Belle au Bois dormant
La bergère et le ramoneur
Cendrillon
Le Chat botté
Contes et comptines de la Mère l'Oie
Les habits neufs de l'empereur
Les musiciens de Brême
Le petit Chaperon rouge
Petite table, sois mise
Poulerousse et le renard
La princesse et le petit pois
Les trois boucs et le troll
Les trois ours
Les trois petits cochons
Les trois souhaits
Le vilain petit canard

Histoires

Les aventures de Nutsy
Les enfants magiques
La grenouille voyageuse
Jack et les haricots magiques
Le jardin des farces
Les jours de la semaine
Une maison à la campagne
La maison que Jacques a bâtie
Le marronnier
Les mois de l'année
Le pêcheur de nuages
Le petit fantôme noir
Le petit lapin blanc et roux
Prosper et les poires
Six petites souris
Sonia et la libellule

Fables et chansons

Le Chat, la Belette et le petit Lapin
Le Corbeau et le Renard
Le Lièvre et la Tortue
Le Lion et le Rat
Le Meunier, son Fils et l'Ane
Le Rat de ville et le Rat des champs
Le Renard et la Cigogne

Nous n'irons plus au bois
Sur le pont d'Avignon

© 1982, Flammarion, Paris
I.S.B.N. 2-08-090154-0
Imprimerie Pollina, Luçon - 4-1982 - Dépôt légal : mai 1982
N° d'édition : 11282 - N° d'impression : 4463
Printed in France

Maurice Chambost

Prosper
et les poires

Illustrations d'Annie Bonhomme

éditions du chat perché
FLAMMARION

Il était une fois un petit cochon très gentil mais pas très malin qui se promenait. Il arriva bientôt près de la maison de monsieur Bourru. Celui-ci prenait le frais sur le pas de sa porte.

— Bonjour, petit cochon, dit monsieur Bourru de sa grosse voix.

— Bonjour, monsieur Bourru, dit le petit cochon.

— Dis-moi, petit cochon, demanda monsieur Bourru, n'aimerais-tu pas goûter à mes délicieuses poires ?

Et il tendit son doigt en direction du

poirier sur lequel s'accrochaient d'énor-
mes crassanes bien jaunes.

— Oh si alors! répondit le petit
cochon en se léchant les babines, j'aimerais bien en manger quelques-unes.

— Alors écoute-moi, petit cochon, si
tu désherbes mon jardin, tu pourras
cueillir toutes les poires que tu voudras.

— Vraiment? s'étonna le petit cochon qui sentait déjà le bon goût des fruits dans sa bouche.

— Vraiment! dit monsieur Bourru.

Aussitôt, le petit cochon se mit à la tâche, arrachant les mauvaises herbes, ratissant, piochant, transpirant, en pensant à toutes les bonnes tartes qu'allait bientôt lui faire sa maman. Lorsqu'il eut fini, le petit cochon, fatigué mais très content, se dirigea vers l'arbre; mais les

branches étaient trop hautes. Il essaya de sauter mais n'y parvint pas. Alors il alla trouver monsieur Bourru.

— Ça y est, monsieur Bourru, j'ai fini mais je n'arrive pas à attraper les poires; vous ne pourriez pas m'aider un peu?

— Ah non, petit cochon! s'exclama monsieur Bourru, c'est à toi de les cueillir, un accord est un accord! Tu pourras manger tout ce que tu auras attrapé mais je n'ai jamais dit que je t'aiderais.

Alors le petit cochon très en colère s'en retourna chez lui.

— Et merci pour le travail, s'écria monsieur Bourru en riant.

Le dimanche suivant, tous les animaux du quartier se réunirent pour fêter l'anniversaire de Loulou, le petit garçon de la ferme. Là se retrouvèrent le petit cochon, une tortue, un canard, un lapin, un petit renard, des souris, bref, tous les amis de Loulou. Et j'oubliais ! Il y avait aussi Prosper. Prosper n'avait pas le droit d'entrer dans la maison. Il devait rester sur le pas de la porte ou sur le rebord de la fenêtre. Chacun, au moins une fois, s'était piqué en s'asseyant sur lui ou en posant sa patte sur son dos. Prosper était un gentil hérisson. Ainsi, de la fenêtre, il pouvait participer à la discussion comme les autres.

Or, justement ce jour-là, on parlait beaucoup de monsieur Bourru ! Le petit cochon se disait très, très mécontent; mais il en était de même pour le lapin à qui monsieur Bourru fit repeindre sa barrière, pour la tortue à qui il fit laver ses vitres, et pour presque tous les autres qui travaillèrent aussi pour lui et ne furent jamais récompensés. C'est alors que Prosper, qui n'avait encore jamais rencontré monsieur Bourru, dit : « Je crois bien que j'ai une bonne idée... ».

Quelques jours plus tard, monsieur Bourru vit passer un petit hérisson :

— Bonjour, bonjour, petit hérisson, dit gaiement monsieur Bourru.

— Bonjour, bonjour, monsieur Bourru, répondit gaiement le hérisson.

— Aimes-tu les poires, petit hérisson ? demanda monsieur Bourru.

— Oui, oui, beaucoup, répondit le petit hérisson, et j'aimerais bien goûter les vôtres.

— Eh bien, c'est facile, expliqua monsieur Bourru en se frottant les mains, si tu ramasses toutes ces feuilles mortes qui jonchent mon jardin, tu pourras déguster toutes les poires que tu cueilleras !

Bien sûr, Prosper accepta. Il se roula en boule et parcourut le jardin dans tous les sens. Bientôt il porta sur lui toutes les feuilles mortes; il lui suffirait alors de se secouer bien fort dans le fossé voisin et sa corvée serait terminée.

— J'ai fini, annonça-t-il, je peux prendre mes poires ?

— Mais bien entendu, dit monsieur Bourru en souriant.

Prosper, au lieu de se rendre sous le poirier, sortit du jardin et disparut.

Monsieur Bourru se demandait ce que faisait Prosper, lorsqu'il vit apparaître... un balai ! avec, bien accroché dessus... Prosper ! Puis le balai se souleva encore un peu jusqu'à ce que le petit hérisson

arrive juste sous une magnifique poire.
Alors Prosper l'accrocha avec ses
piquants et le balai redescendit lente-
ment, portant Prosper avec le fruit bien
planté sur son dos. Rouge de colère,
monsieur Bourru se précipita pour voir
qui tenait ce balai.

« Bonjour, monsieur Bourru », dit
Loulou. « Bonjour, monsieur Bourru »,
répétèrent des petites voix, car tous les
animaux l'accompagnaient.

— Mais tu cueilles mes poires ! s'écria
monsieur Bourru.

— Pas moi, protesta Loulou, c'est
Prosper ! Moi je tiens simplement le

balai, je ne vous prends rien du tout!

A nouveau il souleva le balai et Prosper piqua une nouvelle poire.

— Un accord est un accord! cria celui-ci, tout en haut de son perchoir.

Et ainsi il put décrocher tous les fruits de monsieur Bourru qui s'arrachait les cheveux en voyant qu'il n'y aurait bientôt plus rien sur son poirier.

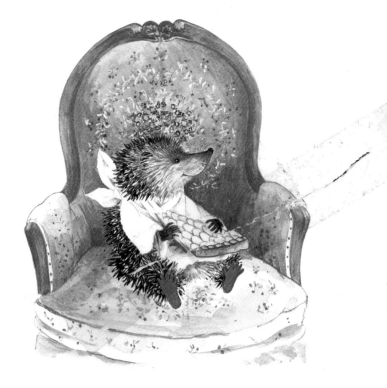

Le soir même, dans la chambre de Loulou, ça sentait bon la compote et les tartes ! Tous les amis étaient réunis. Prosper, nouant sa serviette autour de son cou, eut droit pour une fois à s'installer dans le grand fauteuil...